Wielki Brat w szkole

Big Brother @ School

Jillian Powell

Przekład
Translated by
Kryspin Kochanowski

Other Badger Polish-English Books

Rex Jones:
Pościg Śmierci	Chase of Death	*Jonny Zucker*
Futbolowy szał	Football Frenzy	*Jonny Zucker*

Full Flight:
Wielki Brat w szkole	Big Brother @School	*Jillian Powell*
Potworna planeta	Monster Planet	*David Orme*
Tajemnica w Meksyku	Mystery in Mexico	*Jane West*
Dziewczyna na skałce	Rock Chick	*Jillian Powell*

First Flight:
Wyspa Rekiniej Płetwy	Shark's Fin Island	*Jane West*
Podniebni cykliści	Sky Bikers	*Tony Norman*

Badger Publishing Limited
Oldmedow Road, Hardwick Industrial Estate,
King's Lynn PE30 4JJ
Telephone: 01438 791037

www.badgerlearning.co.uk

2 4 6 8 10 9 7 5 3 1

Wielki Brat w szkole *Polish-English* ISBN 978 1 84691 426 3

Text © Jillian Powell 2003. First edition © 2008
This second edition © 2015
Complete work © Badger Publishing Limited 2008

All rights reserved. No part of this publication may be reproduced, stored in any form or by any means mechanical, electronic, recording or otherwise without the prior permission of the publisher.

The right of Jillian Powell to be identified as author of this Work has been asserted by her in accordance with the Copyright, Designs and Patents Act 1988.

Publisher: David Jamieson
Editor: Paul Martin
Design: Fiona Grant
Illustration: Paul Savage
Translation: Kryspin Kochanowski

Wielki Brat w szkole
Big Brother @ School

Spis treści	**Contents**
1 Zatrzymanie...............	Detention
2 Wstęp wzbroniony!....	No entry!
3 Sen Lee.....................	Lee's dream
4 Próbki.......................	Specimens
5 Plany w przygotowaniu......................	Plans afoot
6 Lądowisko.................	Landing pad
7 Dzień Sportu.............	Sports Day
8 Plan Ryana................	Ryan's plan

1 Zatrzymanie

Odkąd rozpoczął się semestr, w szkole Lee wydarzały się dziwne rzeczy. Po pierwsze, wszędzie pojawiły się lustra. Kiedy Lee w nie spoglądał, miał wrażenie, że ktoś na niego patrzy.

W klasie dał się słyszeć również dziwny dźwięk. Przypominał dźwięk obracającej się kamery.

Kiedy Lee usłyszał ten dźwięk pewnego dnia po porannej przerwie, powiedział do innych: - Widzicie, tam w rogu? To kamera, jestem tego pewien.

Lee wystrzelił z linijki kulkę papieru. Czarne pudełko ruszyło się jak głowa, która obraca się, by spojrzeć.

- Przestań rozrabiać, Lee – powiedział pan Baxter. Pisał właśnie na tablicy. Nie potrzebował kamery, miał oczy z tyłu głowy.

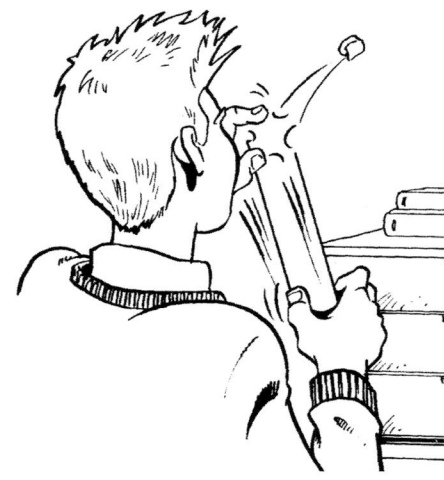

1 Detention

Weird things had been happening at Lee's school since the start of term. First, mirrors had appeared everywhere. When Lee looked into them, he got the feeling that someone was looking back.

Then there was that strange sound he kept hearing in the classroom. It sounded like a camera turning to watch you.

When Lee heard it one day after morning break, he said to the others, "See! That thing in the corner. It's a camera, I'm sure of it."

Lee flicked a ball of paper across the room with his ruler. The black box moved, like a head turning to watch.

"Stop messing about, Lee," Mr Baxter said. He was writing on the board. He didn't need a camera. He had eyes in the back of his head.

- Ale proszę pana, tam jest kamera – powiedział Lee. – Patrzy na nas jak Wielki Brat. Może to wizytator – dodał Lee.

To było zbyt wiele dla pana Baxtera. – Dość tego, Lee – powiedział. - Zostajesz w szkole po zajęciach.

* * * * *

Czas okropnie się dłużył. Pan Baxter chodził tam i z powrotem, podczas gdy Lee miał stukrotnie napisać zdanie „Muszę uważać na lekcjach." Gdy pisał je po raz siedemdziesiąty, pan Baxter zobaczył coś za oknem.

- Chcą ukraść mój samochód! – krzyknął, wymachując pięścią, po czym wybiegł, zostawiając go samego. Lee odczekał minutę i wymknął się z klasy.

Szkoła była pusta. To była szansa, by dowiedzieć się czegoś więcej.

"But Sir, there's a camera up there," Lee said. "It's watching us, like Big Brother. Maybe it's the School Inspector," Lee added.

This was too much for Mr Baxter. "That's it, Lee," Mr Baxter said. "You are staying for detention after school."

* * * * *

Detention seemed to last for ages. Mr Baxter walked up and down while Lee wrote "I must pay attention in class" a hundred times. But just as Lee reached number seventy, Mr Baxter saw something outside the classroom window.

"They're trying to steal my car!" he shouted, waving his fist. Then he shot out of the classroom, leaving Lee alone. Lee waited a minute. Then he slipped out of the classroom.

The school was empty. This was his chance to find out more.

2 Wstęp wzbroniony!

Lee szedł wzdłuż korytarza, na którego końcu znajdował się gabinet dyrektora. Na drzwiach był wielki znak mówiący:

Drzwi nie były domknięte. Lee zbliżył się po cichu i zajrzał do środka. Zobaczył coś bardzo dziwnego.

Dyrektor siedział przy biurku. Lecz nie było to zwykłe biurko. Siedział przed szeregiem ekranów, które wyglądały jak te, używane przez strażników w wielkich magazynach i biurach.

Dyrektor spoglądał na nie i pisał jakiś raport.

Lee przyjrzał się ekranom. Wtedy wydarzyło się coś jeszcze bardziej dziwnego. Dyrektor podrapał się w głowę i ściągnął perukę. To nie zaskoczyło Lee – zawsze uważał, że włosy dyrektora wyglądały nienaturalnie. Co go zaskoczyło, to to, co okrywała peruka.

2 No entry!

Lee made his way along the corridor. At the end was the Headmaster's study. There was a big sign on the door.

The door was not quite shut. Lee crept closer and peered in. Then he saw something very strange.

Inside, the Headmaster was sitting at a desk. But it wasn't just a desk. He was sitting in front of a great bank of television screens. It looked like the screens that security guards watch in big stores and offices.

The Headmaster was watching the screens and writing some sort of report.

Lee peered at the screens. Then something even stranger happened. The Headmaster scratched his head and removed his wig. The wig didn't surprise Lee that much. He always thought the Headmaster's hair looked like a wig. It was what was underneath.

Lee patrzył w zdumieniu na głowę dyrektora. Nie tylko była łysa, ale na dodatek pokryta zielonymi łuskami. Z tyłu natomiast znajdowało się trzecie oko. Lee cofnął się przerażony. Czy oko go zobaczyło?

Lee looked in amazement at the Headmaster's head. It wasn't just bald. It had green scales. And at the back he had a third eye! Lee stepped back from the door in horror. Had the eye seen him?

3 Sen Lee

Tej nocy Lee miał sen o obcych. Statek kosmiczny wylądował w jego ogrodzie i porwał go. Starał się uciec, gdy mama przyniosła mu herbatę.

W szkole, na krótko przed apelem, Lee opowiedział swemu koledze Ryanowi, co widział poprzedniego dnia.

- Posłuchaj Ryan. Myślę, że rozwiązałem zagadkę z kamerą. W każdej klasie jest jedna i wszystkie są podłączone do gabinetu dyrektora.

3 Lee's dream

That night, Lee had a dream about aliens. A spaceship had landed in the garden and scooped him up. He was trying to escape when mum brought him a cup of tea in the morning.

At school, just before Assembly, Lee told his mate Ryan what he had seen the day before.

"Listen, Ryan. I think I've cracked this camera thing. There's one in every classroom, and they're linked to the Headmaster's study."

- No i? – powiedział Ryan. – Kamery są teraz wszędzie, czyż nie? W supermarketach, na stacjach kolejowych. Dlaczego zatem nie w szkołach?

- Tak, ale to nie wszystko – powiedział Lee, zniżając głos. – Myślę, że nasz dyrektor jest... kosmitą.

Twarz Ryana wyrażała, jak głupio brzmiało dla niego to, co słyszał. – Tak, a panie wydające posiłki przybyły z planety Zig – zgodził się.

- Nie, Ryan, posłuchaj. Dyrektor nosi perukę. Pod nią natomiast jego głowa jest zielona, a na jej tyle jest oko. To brzmiało jeszcze bardziej głupio.

- Paliłeś coś? – Ryan uśmiechnął się szeroko.
– Nie sadzę żeby kosmici nosili marynarki z tweedu.

Dyrektor był na scenie i apel miał się zacząć lada chwila.

"So?" Ryan said. "CCTV. It's everywhere now, isn't it? Supermarkets, railway stations. Why not schools?"

"Yeah, but that's not all," Lee told him, dropping his voice. "You see, I think the Headmaster is… is some sort of alien."

Ryan's face told Lee how stupid this sounded. "Yeah, and the dinner ladies come from Planet Zig," Ryan agreed.

"No, listen, Ryan. He's got this wig, right. But, underneath, his head is sort of green and there's this eye thing at the back." That sounded even more stupid.

"You been on the wacky backy?" Ryan grinned. "I don't think aliens normally wear tweed jackets, do they?"

The Headmaster was on the stage and Assembly was about to start.

Dyrektor zaczął od ogłoszenia: - Dzisiaj zostaniecie poddani badaniom zdrowotnym – powiedział. – Lekarz odwiedzi naszą szkołę, by was zważyć i zmierzyć wzrost. Przy okazji... dostaniecie również zastrzyk.

Lee wyglądał na zaintrygowanego. W takich sytuacjach szkoła zwykle wysyłała listy do rodziców. – Nie podoba mi się to – zwrócił się do Ryana.

- Myślisz, że to jakiś spisek kosmitów? – zapytał Ryan, żartując sobie.

Lee nic nie odpowiedział, ale właśnie to podejrzewał.

The Headmaster began with an announcement. "Today we're holding a special Health Check," he told them. "A doctor will be visiting the school to weigh and measure you all. And you will have your... injections at the same time."

Lee looked puzzled. The school usually sent out letters to parents about that. "I don't like the sound of this," he told Ryan.

"Think it's some sort of alien plot?" Ryan asked. He was taking the mickey.

Lee said nothing. But that was exactly what it sounded like.

4 Próbki

Przyjechał lekarz. Każda klasa czekała na swoją kolej. Lee and Ryan zobaczyli młodsze dzieci wychodzące z gabinetu. Wszystkie dostały cukierek i miały plaster na ramieniu.

Lee zatrzymał jednego chłopca. – Co się tam dzieje?

- Nic wielkiego. Lekarz każe ci stanąć na wadze i zapisuje odczyt. Najgorsze jest to – powiedział, wskazując na ramię.

- Po co ten zastrzyk? – spytał Lee.

4 Specimens

The doctor arrived. Each class waited its turn. Lee and Ryan saw the younger children coming out. They had all been given a sweet and had a plaster on one arm.

Lee stopped one boy. "What goes on in there?"

"Oh, it's okay. A doctor makes you stand on the scales and writes things down. The worst bit is this." He pointed to his arm.

"What's the injection for?" Lee asked.

- Nie wiem. Myślę ze odra albo coś takiego.

Lee spojrzał na Ryana.

- Tę szczepionkę dostaje się, będąc niemowlęciem – powiedział. Było za późno, nadeszła ich kolej.

Lee czekał w kolejce.

Lekarz wyglądał trochę dziwnie. Nosił co prawda biały fartuch, ale jego włosy były zbyt długie. W rzeczywistości wyglądały jak peruka...

- Proszę stanąć na wagę – powiedział.

Zapisał coś w komputerze. Lee bacznie przyjrzał się ekranowi. Wyglądało to na tabelę z dużą ilością danych.

Doktor zmierzył jego wzrost, po czym polecił mu siąść i podwinąć rękaw.

- Po co to, doktorze? – zapytał Lee.

"I dunno. Measles or something I suppose."

Lee looked at Ryan.

"You have that when you're a baby," he said. But it was too late. It was their turn.

Lee waited in line.

The doctor looked a bit weird. He was wearing a white coat but his hair was a bit long. In fact, it looked like a wig…

"Stand on the scales, please," the doctor said.

He wrote something on his computer. Lee peered at the screen. It looked like a table with lots of data.

The doctor measured him, then told him to sit down and roll up his sleeve.

"What's this for, doctor?" Lee asked.

- Nic nie poczujesz – doktor uśmiechnął się.

Wbił igłę w ramię Lee, po czym odłożył strzykawkę na tacę, obok wielu innych. Lee zobaczył błysk czerwieni. Lekarz pobrał próbkę krwi.

- Po wszystkim! – doktor uśmiechnął się. – Następny, proszę!

Ramię Lee było trochę obolałe. Wtedy zobaczył coś jeszcze.

Kiedy doktor pochylił się nad biurkiem, jego peruka przesunęła się trochę i Lee zobaczył plamę zielonych łusek na jego szyi.

"You won't feel a thing," the doctor smiled.

He stuck the needle in Lee's arm then put it down in a tray with lots of others. Lee saw a flash of red. The doctor had taken a blood sample.

"All done!" the doctor smiled. "Next one, please."

Lee's arm felt a bit sore. But he'd seen something else.

When the doctor bent over his desk, his wig shifted a bit, and Lee thought he saw a patch of green scales on his neck.

5 Plany w przygotowaniu

- Mówię ci, że on jest częścią planu – Lee zwrócił się do Ryana następnego dnia. – On także jest kosmitą. Spójrz, pobierali próbki krwi.

- Jednego dnia kosmici, drugiego wampiry – odparł Ryan. – Zdecyduj się, Lee.

- Lekarz wpisywał coś również do swego komputera. Wydaje mi się, że były to stopnie – klasyfikowali nas jak kurczaki czy coś takiego.

- Naprawdę, teraz to już przesadziłeś – powiedział Ryan. Dyrektor właśnie zaczynał zebranie.

5 Plans afoot

"I'm telling you, he's part of the plan," Lee told Ryan the next day. "He's an alien too. Look, they were taking samples of our blood."

"Aliens one day, vampires the next," Ryan said. "Make up your mind, Lee."

"And, he was writing on his computer. I think it said something about grades. I think they were grading us, like chickens or something."

"Now you really have lost it," Ryan said, as the Headmaster started Assembly.

Po jego skończeniu poinformował uczniów o planach związanych z Dniem Sportu.

- W tym roku zawody odbędą się na najwyżej położonym stadionie – powiedział. – Jest wiele pucharów i nagród do wygrania! Po każdym wyścigu zwycięzcy pójdą na koniec boiska, gdzie będą czekać na nagrody.

Lee zaczynał rozumieć, o co tu chodziło. Wszyscy byli na najwyższym boisku, z dala od budynków szkoły. Po ukończeniu wyścigów wszyscy sprawni i wysportowani uczniowie mieli znaleźć się w jednym miejscu… uczniowie z najlepszymi ocenami. Cóż za szansa dla kosmitów, by schwytać kilku wysportowanych Ziemian.

When it was over, he told the school about plans for the Sports Day.

"This year, the races will take place on the top playing field," the Headmaster told them. "There are lots of cups and prizes to win! After each race, all the winners will go to the far end of the field. They will wait there for their prizes."

Lee began to get the picture. The whole school was up on the top playing field, away from the school buildings. As the races finished, all the fit and sporty pupils were standing together in one place… all the 'grade A' pupils in fact. What a chance for the aliens to round up some sporty earthlings…

6 Lądowisko

- Czego więc szukamy? – Ryan spytał Lee. Zmierzali w kierunku najwyżej położonego boiska.

- Nie wiem. Wskazówek, czegokolwiek – odparł Lee. – Musi być powód, dla którego dyrektor chce, aby wyścigi odbyły się właśnie tam.

- Co to takiego? Ryan wskazywał na białe znaki na trawie. Podeszli, by się im przyjrzeć z bliska.

Na trawie widniał biały okrąg z wielkim krzyżem po środku.

6 Landing pad

"So what are we looking for?" Ryan asked Lee. They were heading towards the top playing field.

"I dunno. Clues, anything." Lee said. "There must be a reason the Headmaster wants the races to take place up here."

"What's that?" Ryan was pointing to some white marks on the grass. They went over to take a closer look.

A white circle had been marked out on the grass, with a giant cross in the middle.

- Wiesz, na co to wygląda? – Lee spytał Ryana. – Na lądowisko dla helikoptera.

- Wielkiego helikoptera – odparł Ryan, który nagle spoważniał. – Spójrz na reflektory – powiedział.

Lee podniósł wzrok na światła. Zamiast świecić w dół na płytę boiska, skierowane były w niebo.

- Widzisz? – powiedział Lee. – Światła do lądowania, lądowisko. To nie jest przygotowane dla helikoptera, Ryan. To dla ich statku kosmicznego.

- Jak myślisz, co zrobią? – zapytał Ryan. Przynajmniej zgadzał się co do tego, że coś było nie w porządku.

"You know what that looks like?" Lee said to Ryan. "It's like a landing pad for a helicopter."

"Big helicopter," Ryan said. He looked a bit more serious now. "Look at the flood lights," he said.

Lee looked up at the lights. Instead of shining down onto the playing field, they were trained up to the skies.

"See?" Lee said. "Landing lights. And a landing pad. That's not for a helicopter, Ryan. It's for their spaceship."

"So what do you think they'll do?" Ryan said. At last he seemed to agree that something was wrong.

- To oczywiste, czyż nie? - powiedział Lee. – Zwycięzcy staną w tym okręgu, statek kosmiczny wyląduje i świst... wezmą sobie paru Ziemian w drodze powrotnej.

- W drodze powrotnej dokąd?

- Czy nie wydaje ci się, że to nie ma większego znaczenia? – zauważył Lee.

- Racja, racja. Ryan stał, myśląc.

- Dotarło do mnie! – powiedział w końcu. – Mam doskonały plan. Plan, dzięki któremu pokonamy tych kosmitów!

"It's obvious, isn't it?" Lee said. "The Headmaster will get all the winners to stand in this circle. The spaceship will land, and whoosh... They get themselves some earthlings to take back."

"Back where?"

"Don't you think that's a bit of a minor detail?" Lee said.

"Okay, okay." Ryan stood, thinking.

"Got it!" he said at last. "I've got a brilliant plan. A plan that will beat these aliens!"

7 Dzień Sportu

Nadszedł Dzień Sportu. Rozegrano wyścigi w workach, biegi, skok w dal oraz wzwyż.

Dyrektor przemówił do uczniów przez głośniki.

- Pamiętajcie wszyscy. Po zakończonym wyścigu zwycięzca musi udać się na koniec boiska i czekać tam na... wielką nagrodę.

- Raczej na wielką niespodziankę – powiedział Ryan.

- Przekażę teraz mikrofon, by wyścigi mogły się rozpocząć – powiedział dyrektor.

7 Sports Day

Sports Day arrived. There were sack races and running races, long jump and high jump.

The Headmaster spoke to the school over a loudspeaker.

"Now remember, everyone. At the end of each race, the winner must go to the top end of the field, and wait there for... a big prize."

"A big surprise, more like," Ryan said.

"I will now hand over so the races can begin," the Headmaster said.

Dzieci zaczęły ustawiać się do pierwszego wyścigu.

- Zaczniemy od biegu – oznajmił głos. – Kto jest najszybszy? Na miejsca, gotów... start!

Wszyscy zaczęli dopingować zawodników, lecz Lee i Ryan wciąż patrzyli na platformę.

- Widzisz, kto zapowiada wyścigi? – zapytał Lee.
– Nasz zaprzyjaźniony doktor.

Lekarz stał obok dyrektora. Obaj patrzyli w niebo, jakby na coś czekali.

- Szkoda, że dzień nie jest wietrzny – powiedział Ryan. – Chciałbym zobaczyć, jak wiatr zwiewa ich peruki!

Rozległy się huczne brawa. Pierwszy wyścig został ukończony.

Zwycięzca udał się na koniec boiska i stanął w okręgu.

- Łatwy cel – zauważył Lee.

Children began lining up for the first race.

"We begin with a running race," a voice announced. "Who is the fastest runner? On your marks, get set... go!"

Everyone started cheering as the race began. But Lee and Ryan were still looking up at the platform.

"See who is announcing the races?" Lee asked Ryan. "It's our doctor friend."

The doctor was standing beside the Headmaster. They were both looking up at the skies, as if they were waiting for something to happen.

"Pity it's not a windy day," Ryan said. "I'd love to see those wigs blow away!"

There was a huge cheer. The first race had been won.

The winner went and stood on the cross in the circle.

"Talk about a sitting duck," Lee said.

- Teraz odbędzie się skok w dal – ogłosił doktor. Po nim odbył się skok wzwyż oraz sztafeta. Jeden po drugim, zwycięzcy zbierali się w białym okręgu.

Lee i Ryan byli w jednej drużynie w sztafecie. Ku ich przerażeniu zwyciężyli bieg i musieli udać się do okręgu.

- Został tylko jeden bieg! – Lee ostrzegł Ryana. – Gdzie się podział dyrektor? Nigdzie go nie widzę.

O nic się nie martw. Wszystko jest pod kontrolą – uspokoił go Ryan.

Lee miał taką nadzieję. Odnosił wrażenie, że pozostało im niewiele czasu.

"Now we have the long jump," the doctor announced. The high jump and the relay race followed. One by one, the winners gathered in the white circle.

Lee and Ryan were on the same team for the relay. To their horror, their team won and they had to go and stand in the circle.

"There's only one race left!" Lee warned Ryan. "Where's the Headmaster? I can't see him any more."

"Don't worry, mate. It's all under control," Ryan told him.

Lee hoped it was. He had a feeling they were running out of time.

8 Plan Ryana

Ostatni wyścig dobiegł końca i jego zwycięzca zbliżał się, by dołączyć do innych stojących w okręgu.

- Słyszysz coś, Ryan – zapytał Lee. Patrzył w niebo.

Ryan jednak szeptał coś komuś do ucha. Szept szybko rozniósł się po okręgu i nagle wszyscy zaczęli biec w kierunku bramy boiska.

- Zwycięzcy! Proszę zostać w okręgu… wasze nagrody… – zagrzmiał głos doktora.

8 Ryan's plan

The last race was finishing. The winner was coming over to join the others in the circle.

"Ryan, can you hear something?" Lee asked. He was looking up at the sky.

But Ryan was whispering in someone's ear. The whisper spread quickly round the circle. Suddenly, everyone began running towards the playing field gates.

"Winners! Please, stay in the circle… your prizes…" the doctor's voice boomed.

Było jednak za późno. Okrąg opustoszał i wszyscy tłoczyli się wokół szkolnej bramy. Podjechał biały samochód. Otworzyły się drzwi i dało się słyszeć westchnienie.

Nie można było pomylić tego wstydliwego uśmiechu i modnej fryzury. Kapitan futbolowej reprezentacji Anglii wysiadł z samochodu w tłum łowców autografów.

Lee spojrzał na Ryana. – Czy to rzeczywiście...?

- To mój kuzyn, Jaz – ze spokojem odparł Ryan. – Wygrywa wszystkie konkursy sobowtórów.

Pojawienie się Jaza odniosło pożądany skutek – dziewczyny chichotały, chłopcy zaś stali wpatrzeni. Cała szkoła tłoczyła się wokół bramy, by mu się bliżej przyjrzeć.

Nikt tym samym nie zauważył olbrzymiego statku kosmicznego, który po cichu osiadł na lądowisku.

Kiedy Lee i Ryan odwrócili się, zobaczyli, że dyrektor i doktor zniknęli. W powietrzu unosił się dziwny zapach, a trawa wokół okręgu była nadpalona.

It was too late. The circle was empty. Everyone was crowding round the school gates. A long white car was arriving. The door opened and there was a gasp.

There was no mistaking the shy smile, the trendy haircut. England's football captain stepped out into a sea of autograph hunters.

Lee looked at Ryan. "Is that really…?"

"It's my cousin, Jaz," Ryan said calmly. "He wins no end of look-alike contests."

Jaz seemed to have done the trick. Girls were giggling, boys were staring. The whole school crowded round the school gate for a closer look.

So no one saw the vast alien spaceship glide silently down behind them onto the landing pad.

It was only when Lee and Ryan looked back that they saw the Headmaster and the doctor had vanished. There was a strange smell, and the grass around the circle had been scorched.

- Nie wierzę. Przegapiliśmy to! – powiedział Ryan.

- Założę się, że tak właśnie myślą kosmici! – zażartował Lee, patrząc w niebo.

"I don't believe it. We just missed it!" Ryan said.

"I bet that's what the aliens are thinking!" Lee joked, looking up at the sky.